# APPRENTIS LECTEURS
## SCIENCES

# Les cours d'eau

D1048240

## Allan Fowler

Texte français de Claude Cossette

Éditions ■SCHOLASTIC

Catalogage avant publication de Bibliothèque
et Archives Canada

Fowler, Allan
Les cours d'eau / Allan Fowler;
Texte français de Claude Cossette.

(Apprentis lecteurs. Sciences)
Traduction de : All Along the River.
Pour enfants de 5 à 8 ans.
ISBN 0-439-94184-9

1. Cours d'eau--Ouvrages pour la jeunesse.
I. Titre. II. Collection.

GB1203.8.F6914 2006      j551.48'3      C2006-903213-0

Conception graphique : Beth Herman Design Associates
La photo en page couverture montre une chute d'eau.

Édition publiée par les Éditions Scholastic,
604, rue King Ouest, Toronto (Ontario)  M5V 1E1.

5  4  3  2  1      Imprimé au Canada      06  07  08  09

Où commencent les cours d'eau?

Il y a des cours d'eau qui ont une source comme point de départ.

D'autres partent d'un étang ou
d'un lac dans les montagnes.

De minuscules ruisseaux
se déversent dans de petites
rivières...

qui se jettent dans des fleuves,
qui deviennent encore plus gros.

L'eau des rivières provient
de la pluie, ou de la neige
qui a fondu.

L'eau de pluie s'écoule
et forme des cours d'eau
qui se jettent dans la mer.

Après de fortes pluies ou
chutes de neige, il arrive que
les cours d'eau débordent.

Les maisons et les champs,
même des villes entières,
sont envahis par l'eau.

Cela s'appelle
une inondation.

12

Des gens construisent de gros barrages pour retenir l'eau.

Certains barrages utilisent
le courant des cours d'eau
pour produire de l'électricité.

Des rapides se forment
quand l'eau coule très vite,
souvent sur des roches.

Beaucoup de gens s'amusent à descendre les rapides dans un canot pneumatique.

Une chute est un cours d'eau
qui tombe d'une falaise.

Les chutes Niagara, situées
entre les États-Unis et le
Canada, sont parmi les plus
grosses au monde.

Un cours d'eau rapide entraîne de la terre et des roches. Après bien des années, la terre de chaque côté du cours d'eau s'érode.

Une rivière peut former
une vallée.

La terre et les roches que les cours d'eau charrient vers la mer peuvent s'accumuler et former un nouveau terrain que l'on appelle delta.

La Nouvelle-Orléans est
une ville située sur le delta
du fleuve Mississippi.

Beaucoup de villes importantes
se sont développées à côté
d'un cours d'eau.

Les gens se sont établis près
des cours d'eau parce qu'ils
fournissent de l'eau potable
et du poisson.

Les terres près des cours d'eau sont souvent riches et fertiles – parfaites pour l'agriculture.

Avant les automobiles, les trains et les avions, les gens prenaient souvent le bateau pour aller d'un endroit à l'autre.

Les villes, les villages et aussi les usines avaient l'habitude de jeter leurs ordures dans les cours d'eau. Il y en a qui le font toujours.

Cela pollue les cours d'eau.
L'eau polluée met en danger
la faune, les plantes et
les humains.

Mais la plupart des gens
veillent maintenant à ce que
les cours d'eau restent propres.

Tu peux t'amuser de bien des façons dans un cours d'eau. Tu peux pêcher, nager, naviguer ou observer la faune qui y vit...

mais seulement si l'eau
est propre.

# Les mots que tu connais

fleuve

chute

lac

étang

source

ruisseau

vallée

delta

rapides

inondation

# Index

# Références photographiques